à ma femme, ma fille et ma mère.

Tous les dessins estampillés :
ont été réalisés sur le vif.

_ HÔPITAL BEAUJON, CLICHY _
19 OCTOBRE 2011

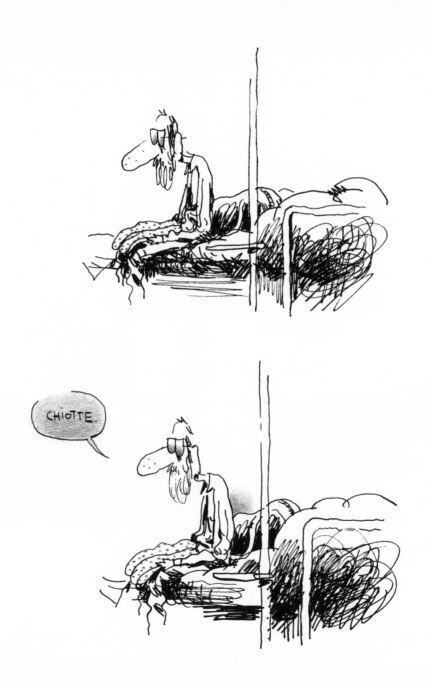

PSYCHOSOMATIQUE

LE MOT MAGIQUE EST LÂCHÉ...

"METS-TOI AU YOGA, MON GARS."

Sauf qu'à l'époque, j'étais plutôt dans le tag vandale...

Un bras de fer quotidien pour maîtriser un événement inéluctable...

... mais chez moi, par pitié.

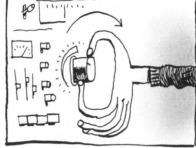

C'était devenu MA NORMALITÉ, jusqu'au jour
où une crise tout à fait nouvelle apparut...

SPASMES VIOLENTS
RIEN NE SORT
HARDCORE ROCK.

Lors des crises les plus violentes, Maé (ma femme) m'emmène chez SOS médecins ou chez le généraliste dispo...

À chaque fois les mêmes symptômes, à chaque consult' les mêmes rengaines...

Mon cas est discuté en STAFF pour décider du traitement à suivre. Eh ouais, ces gars-là sont des pros.
LA PROPHÉTIE!
Mes très chers frères et soeurs, il est sur le point d'enfanter le KÖNIG!
Suite à la relecture de l'IRM par le frère D, nous lui laissons la parole.
merci, frère B.
Mes frères, en raison de l'existence d'une atteinte inflammatoire iléale terminale avec fistule iléo-iléale, je propose à l'organisation le geste CHIRURGICAL!
Bilan PRÉ-ANTI-TNF OK.
Sérologie B, G, VIH, CMV, EBV VZV, UV, TPK
Ainsi soit-il!
Soeur F, vous êtes chargée de récupérer le KÖNIG.
Radio du Thorax OK!
La prophétie...
Ça y est, il remet ça...
i'reste du pif?
Quant à vous, Soeur S, informez le patient de la procédure, et ZOU!
Rho, c'est toujours moi, c'est pas juste...

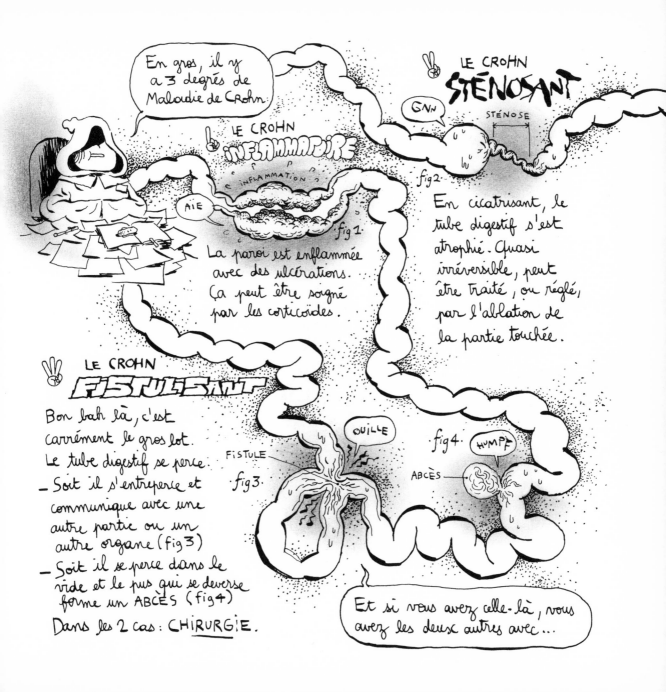

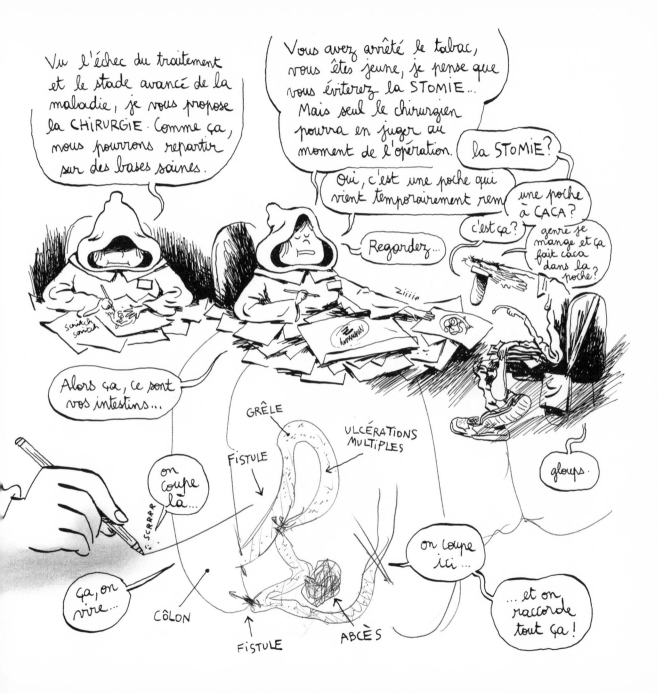

Les premiers jours de
jeûne sont les plus durs.

Il faut dépasser le sentiment de
vide provoqué par la faim.

Puis un état second de plénitude
et de sérénité prend le relais...

Un peu comme la fatigue d'une nuit
blanche qui colle des vapeurs d'euphorie.

Avoir le ventre vide devient
synonyme de bien-être, de soulagement...

Mais ça ne va
qu'un temps...

On fait le point comme prévu. Je ne mange presque plus rien de solide.

le 6 octobre.

ou bien?

le 20.

TOPE-LÀ.

Accouchement programmé. Il semblerait que je sois arrivé à terme...

GROOAÀÀÀ

JE... VEUX... SORTiiiR...

Je m'isole dans l'atelier pour chanter à donf et souffler dans ma clarinette. Ça soulage un peu...

Les médecins me prescrivent du Modulen, un substitut alimentaire complet, une bouillie dégueulasse...

2 litres / jour à boire. Il ne faut pas maigrir avant l'opération.

BLA BLA BLi BLA BLA

HA HA

HO HO

BRETELLES (je ne supporte plus les ceintures.)

Au taf, je ne parle pas trop de tout ça et je serre les dents.

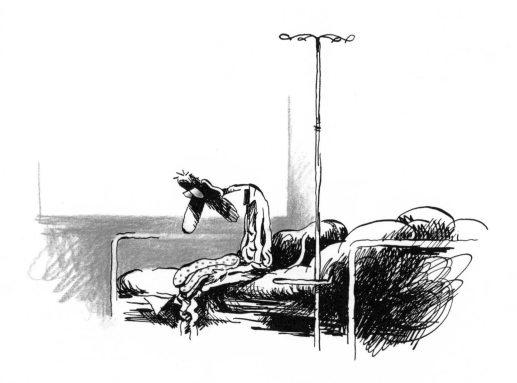

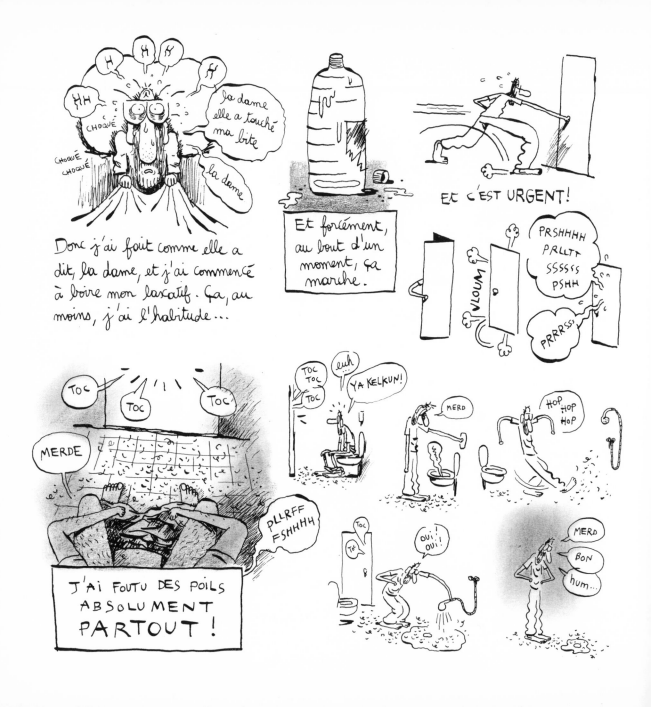

COURAGE VOISIN

19.10
2011

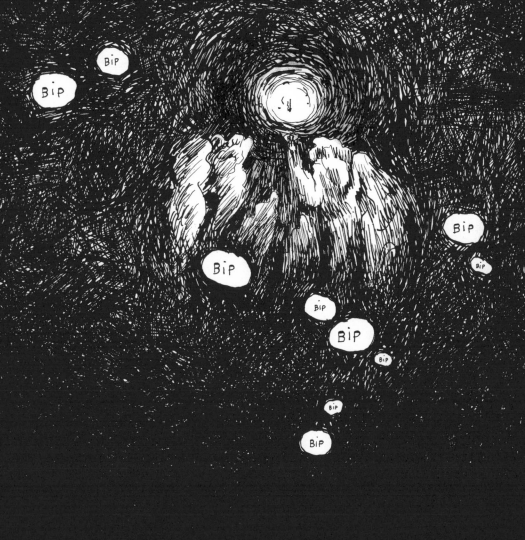

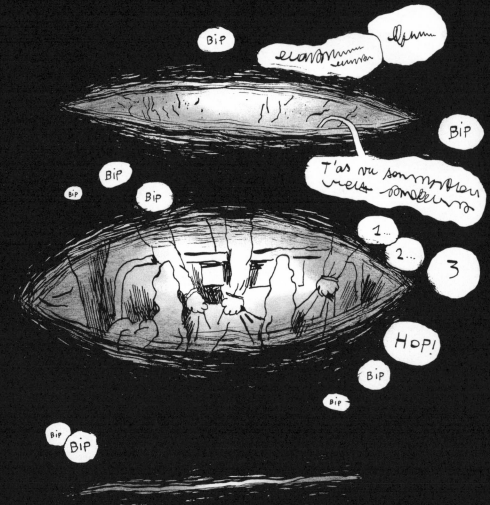

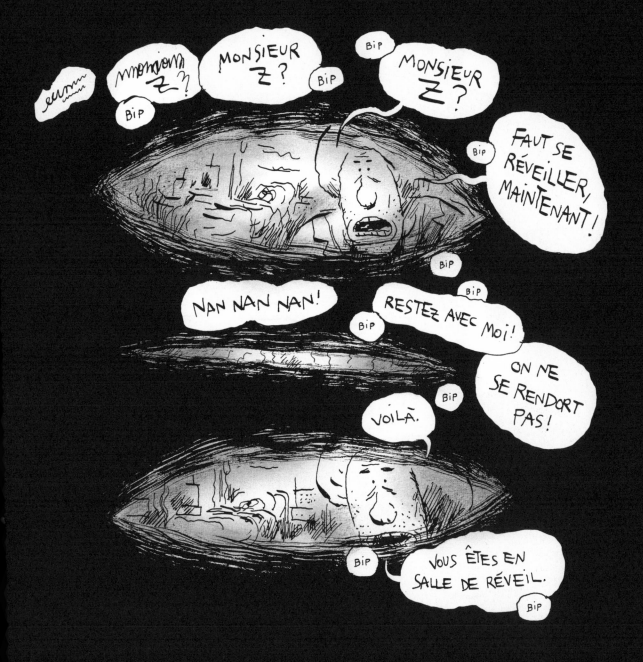

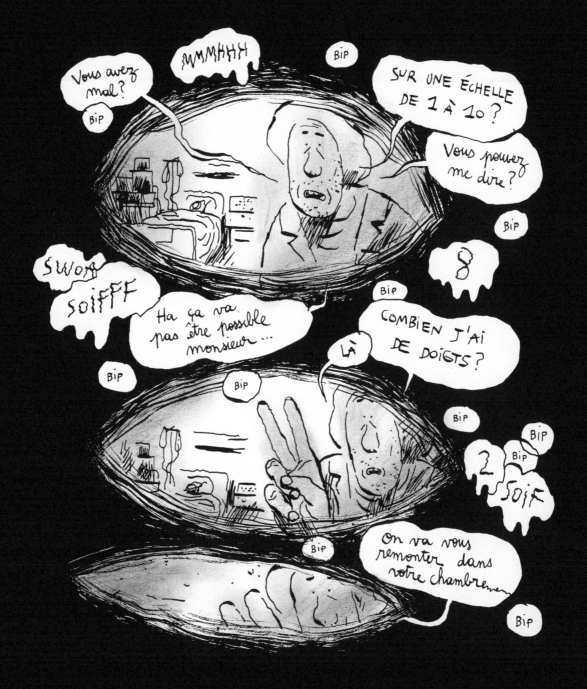

SURFACE
LE RÉVEIL RÉVÈLE
L'AMAS DE DOULEUR.

SOUTIEN NÉCESSAIRE
PRÉSENCE SILENCIEUSE
MA FEMME ET MA MÈRE.

C'était du 50/50. J'ai décidé de ne pas vous mettre la stomie. Vous êtes jeune, vous avez arrêté de fumer... J'ai fait un pari. L'avenir nous dira si j'avais raison.
merci.
merci.
Je repasse vous voir demain.
et sinon...
Ce serait possible d'avoir une photo de ce que vous m'avez retiré ?
euh... c'est pas très beau à voir, vous savez...
J'ai besoin de le voir en face.
C'est important.
très bien.

Besoin d'un
calme pire que
Religieux...

22/10
2011

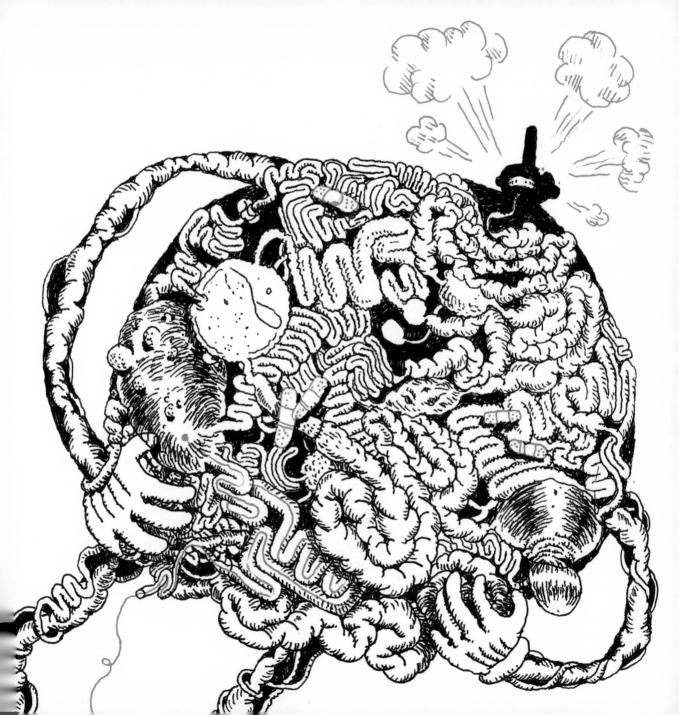

RÉMI
TÉLÉPHONE
MAISON.

24/10
2011

Comme tous les matins, tous les soirs, c'est le rituel de la température et de la tension.
BIP
BIP
Et quotidiennement, le passage d'un médecin, souvent accompagné…
euh…
BONJOUR?
Lui, ça doit être le boss.
Mes frères, cette brebis égarée avait les intestins complètement pourris.
nous l'avons SAUVÉE!
Et regardez comme il reprend des forces!
Vif et frais comme un jeune faon sautillant dans les champs!
?
magnifique!

Un pas, un pet,
ma carcasse
se remet en marche.

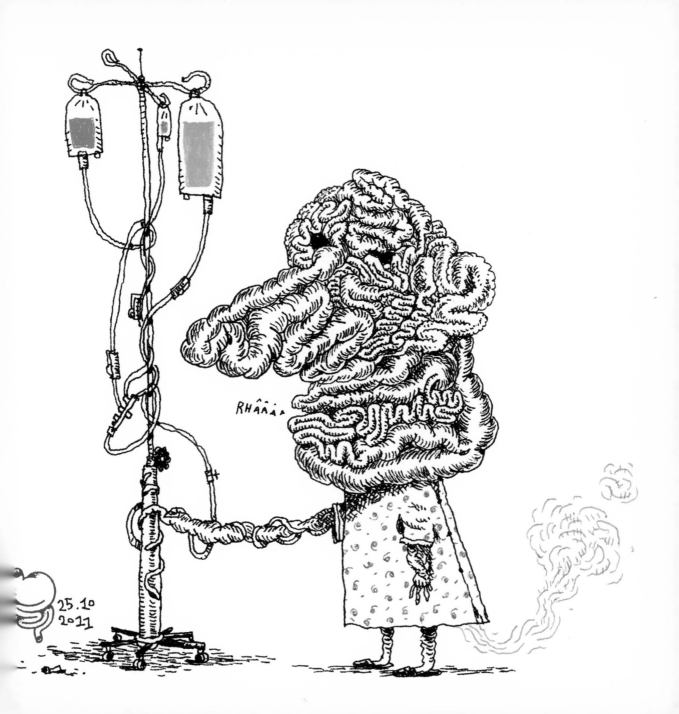

RHÂÂÂ

25.10
2011

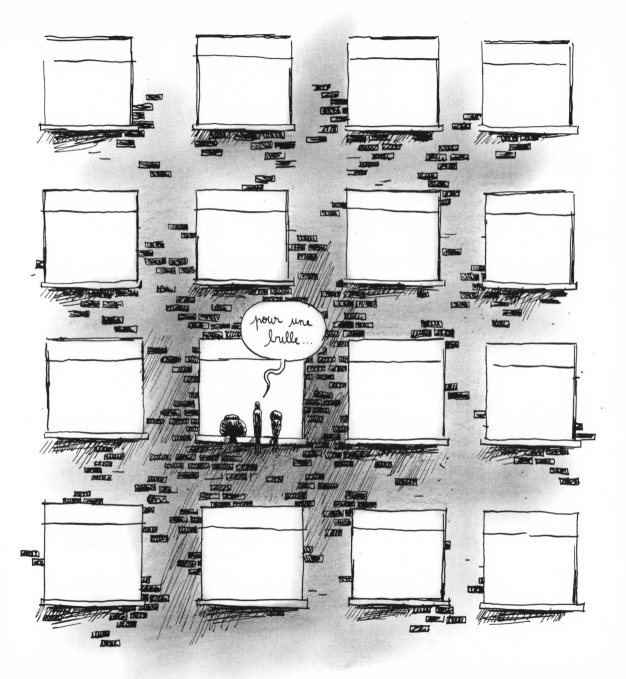

CLOISON DE PAPIER
SANGLOTS DU COUPLE
GUERRIER À GENOUX

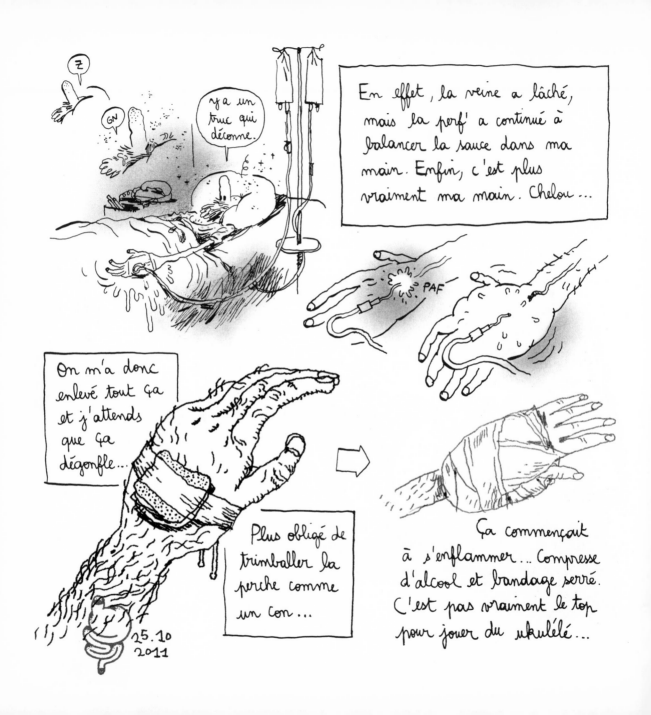

UNE BANANE,
UN GOÛT AMER,
ENFIN !

26.10
2011

Mon voisin a quitté les lieux...

Au cours de notre colocation, nous avons peu discuté, mais il m'a apporté quelques précieuses informations...

Fais bien attention au retour à la maison.

Ne crois pas que c'est fini. En fait, c'est le début. Il vaut mieux être prévenu, le retour est dur.

et SURTOUT,

SURTOUT, une fois chez toi, surveille bien ta température. Si elle remonte, t'es bon pour revenir!

STOP. J'ai eu ma dose. Je veux juste me barrer d'ici.

même pas peur!

même pas de fièvre.

même pas je reviens!

Tchâo les mecs!

HA HA!

bonjour

?

Je ne peux rien porter de lourd pendant 1 mois.

Le temps que ça cicatrise bien.

Il ne faut pas forcer sur les abdos.

Si ça craquait, ce serait vraiment malvenu...

...Et j'ai pas envie de malvenir.

LA FIN DU DÉBUT.

28·1o
2011

La gueule de bois du come-back est rude.

Je me traîne du canapé aux toilettes, du lit au canapé en repassant par les toilettes...

Thé oublié. Trop infusé. Froid. L'eau s'évapore...

... Laissant apparaître les strates de la douleur. Thé concentré, amer, imbuvable, détestable...

Va falloir s'accrocher pour laver ça...

OU PAS.

Black Trombone,
monotone,
c'est l'automne,
de ma vie.
Plus personne,
ne m'étonne,
j'abandonne,
c'est fini.

29

RETOUR À LA CASE DÉPART.
On se pointe direct au
9e étage, d'où je suis parti
il y a 2 jours, sans repasser
par les urgences...

Chiotte,
Rebelote,
c'est la rechute.
—

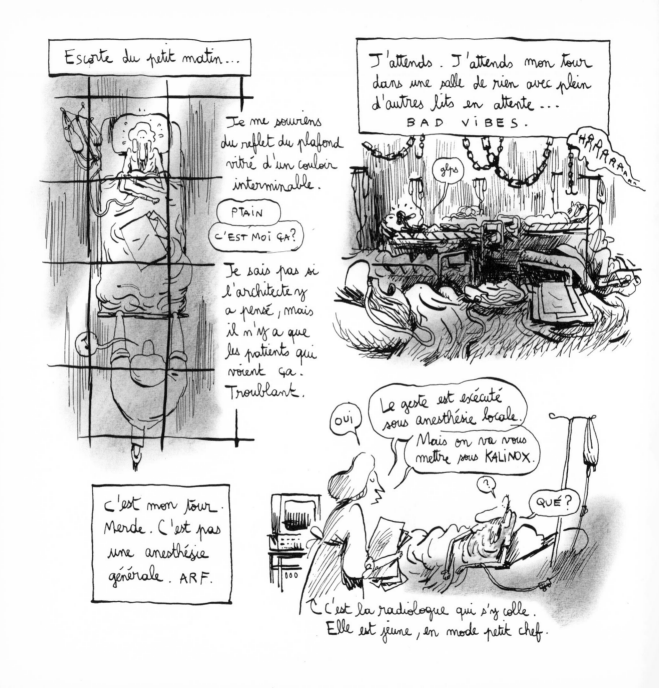

Ma tête veut dormir,
mes pieds courir,
et tout entier pourrir.

———

petite voix kalinox
VS
LE RADIOLOGUE
TOUT VA BIEN
VOUS ÊTES DÉTENDU
ÇA VA
IL FAIT CHAUD
DÉCONTRACTEZ-VOUS
IL FAIT BEAU
MOINS DE BRUIT SÉBASTIEN !
VOUS ÊTES À LA PLAGE...
TOUT VA BIEN
BIEN
JE VOUS TIENS LA MAIN ...
ÇA VA PIQUER UN PEU
TENEZ LE MASQUE
HEIN ?
JE VOUS FAIS MAL, MONSIEUR ?
ÇA VA PASSER OUI ?
NTT.
VOILA
ALORS ...
PUTAIN DE...
ÇA PASSE ?
MMMH ...
MERDE
ÇA S'EST COUDÉ BORDEL
RHA
KRZZZZZZZZZZ
KRZZZ
FRANÇOISE TU VEUX BIEN VENIR VOIR ?
BOUGEZ PAS
JE REVIENS
JE SUIS LÀ
TOUT VA BIEN
MPFOU!
VOUS M'ENTENDEZ ?
E LÂCHE
VOILÀ
ORINNE IL E FAUT ......
OUILLE
KEPTANOX A PLUS
JE SUIS LÀ
E SUIS LÀ
ÇA VA
TOUT VA BIEN
TOUS ÊTES FUPER
GN
E SERREZ PAS SI FORT. VOUS ME FAITES MAL
MFDÉZOLÉ
L FAIT BEAU
OUTCH
OUI IL A MAL MAIS EN MÊME TEMPS ÇA FAIT /2 H QU'ON Y EST HEIN...
OUT VA BIEN
kalinox
IL FAIT BEAU
BIENTÔT FINI
RHAA PTAIN !
ENCORE 5 MINUTES !
HOP
C'EST LIQUIDE
CHIOTTE
J'VAIS P'TÊTRE PRENDRE UN DRAIN + FIN ?
VOUS DITES ?
OU PAS.
SI ?
Kalinox

Usé. Rincé. Je m'écroule.
Réveil en douleur. Une douleur
très aiguë qui va s'installer
confortablement, dans mon cul.

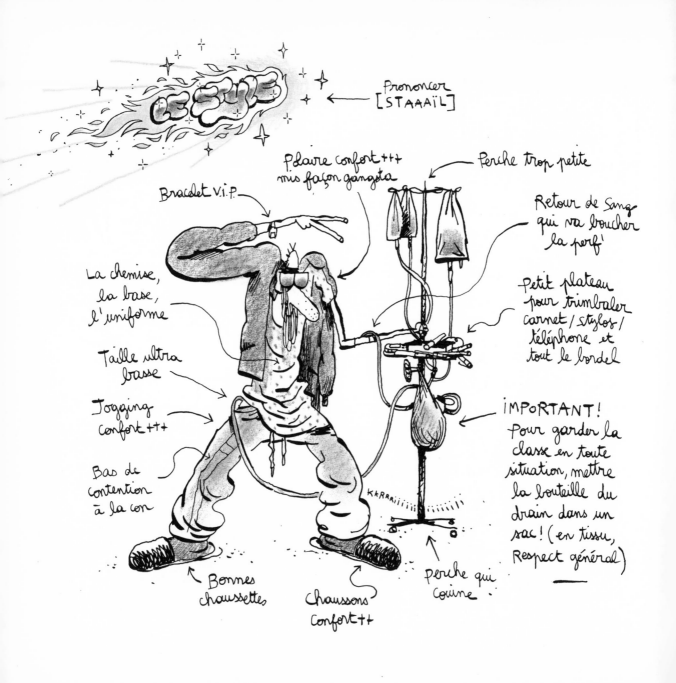

1 seconde est 1 minute,
1 minute est 1 heure,
1 heure est 1 nuit,
1 nuit est interminable.

3.11
2011

fig1.

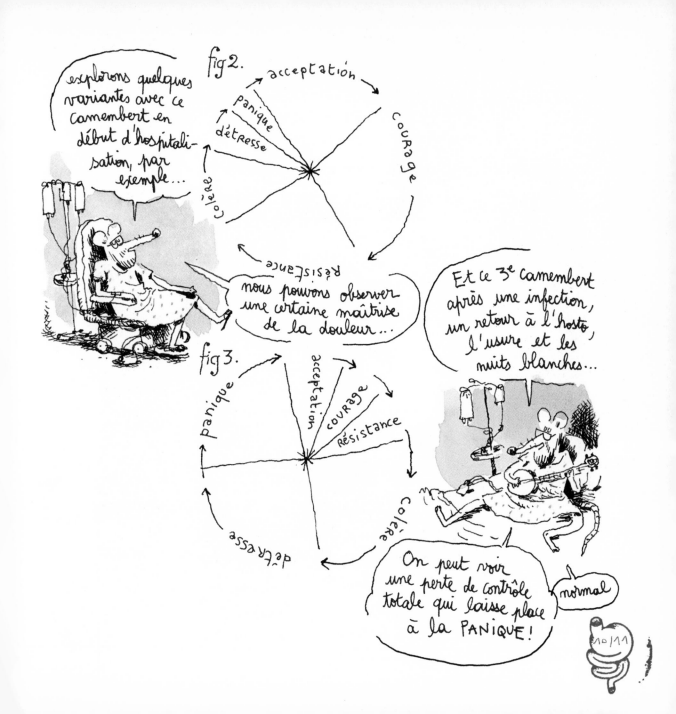

Plus de 2 heures s'étaient écoulées
depuis mon premier appel de détresse.

Antidouleur tardif,
Un thé froid au
milieu des tuyaux,
Sur le bord du lit
ma fesse pèse une tonne.

DOUILLET! On m'a fait la même remarque après l'opération. Je crois pourtant avoir une sacrée endurance. J'ai encaissé pendant des années sans broncher. C'est quoi le problème?
HEIN?
Mais c'est sûr que, à part la morphine, y a pas grand-chose qui fait effet.
mmh...
J'ai ma petite idée là-dessus...
Vous êtes consommateur de cannabis, ce qui a des vertus apaisantes sur la maladie de Crohn, j'en conviens.
MAIS
Le cannabis emprunte les mêmes chemins neuronaux que les antalgiques et les anesthésiants.
→ SATURATION DES NEURORÉCEPTEURS.
Vous avez émis des signes de réveil lors de l'opération, nous avons dû ajuster les doses d'anesthésiant.
En gros, vous n'êtes pas plus sensible qu'un autre à la douleur...
MAIS PLUS RÉSISTANT AUX ANTI-DOULEURS.
ha?
oui, voilà, c'est bien ça, bah voui!

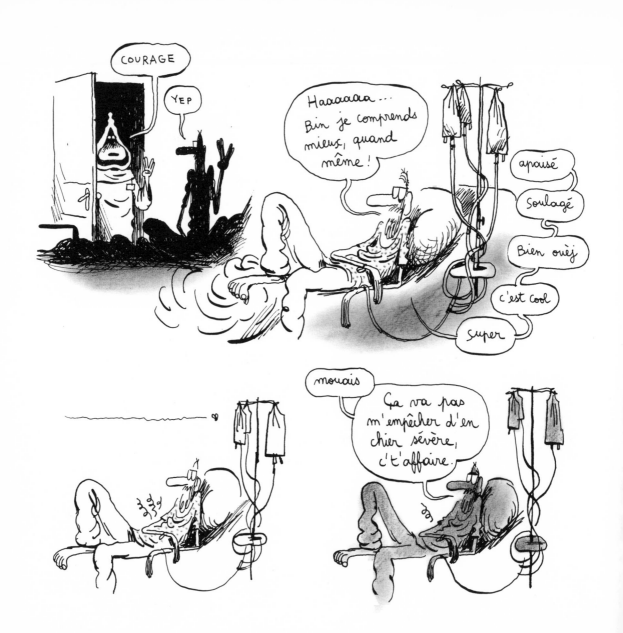

Quand mon stylo se pose sur la feuille, trace, gratte, noircit la page, la douleur s'estompe...

Une manière de transformer toute cette merde en une petite satisfaction quotidienne.

ils vont pas tarder à le lui retirer
et sinon ...
tu paries combien qu'il récidive?
RHA NON! J'me suis déjà fait baiser la dernière fois!

Déjà que le moral des troupes est branlant,
ils nous claquent des plateaux franchement pas bandants...

"VOILÀ, C'EST FAIT !
Je vous mets un petit strip
et je reviens demain pour vérifier".

" Si tout va bien,
vous pourrez sortir."

06/11

Je suis chez MOI, bien installé dans MON canapé. Le temps est venu de faire...

▷ L'ÉTAT DES LIEUX ▷

✻ 10 kilos en moins, facile

✻ Mal au bide profond

✻ Mal au cul bien profond

✻ Manque de dodo

✻ Chiasses sévères

✻ 80 cm en moins

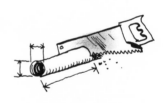

✻ Ne rien porter

✻ La suture doit tenir...

✻ Surtout à l'intérieur

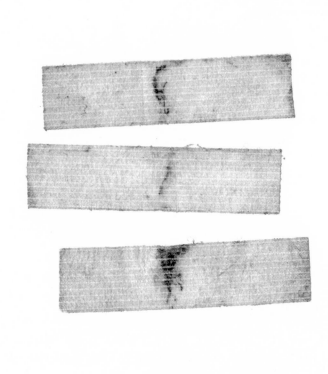

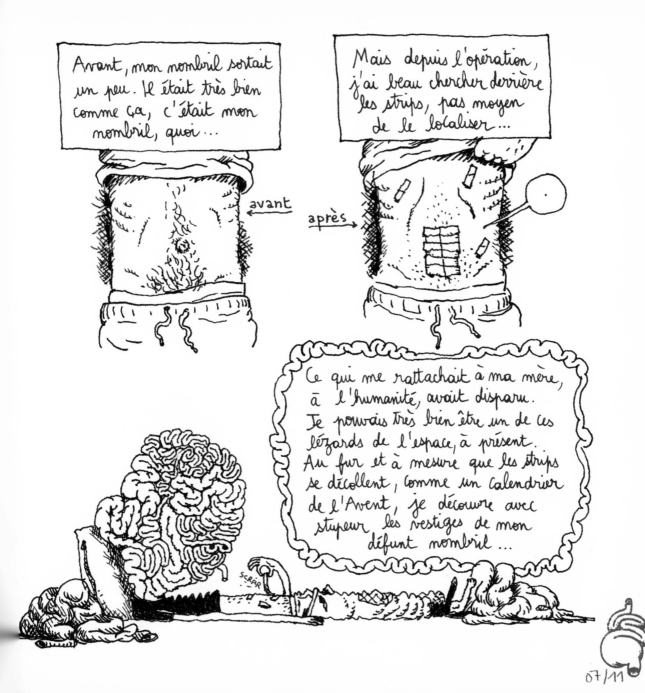

MA MISSION:
Me reposer, reprendre des forces, du poids, profiter de ma fille.

Je suis le T-REX
dans la bergerie,
J'exerce ma passion,
La boucherie,
De chez moi à la
boulangerie.

Pour éviter les risques de thrombose veineuse, injection d'anti-coagulant 1 f/jour.

Mon infirmière m'a montré comment faire ça tout seul.

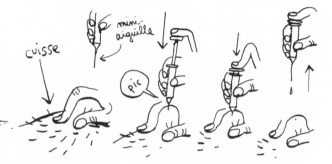

⊕ Prise de sang pour vérifier que le profil inflammatoire baisse, 1 f/semaine.

⊕ injection de vitamine B12 1 f/semaine.

impossible de relâcher...
HHH
Respiration
Respiration
détente
HH
détente
HHH
H
Respire
Respire
Z
MON CORPS EST EN ALERTE ROUGE PERMANENTE
QU'EST-CE QU'ON FAIT, CHEF?
NE LE LAISSEZ PAS S'ENDORMIR!
ACTIVEZ LA BOUGEOTTE!
ENCLENCHÉE
ACTIVÉE
?
KÉ?

J'ai compris bien
plus tard que j'étais
victime du syndrome
"DES JAMBES SANS REPOS"!

Un jour, c'est court
quand on court.
Une nuit, c'est long
quand on regarde
le plafond.

J'ai l'impression de
chier de l'acide.

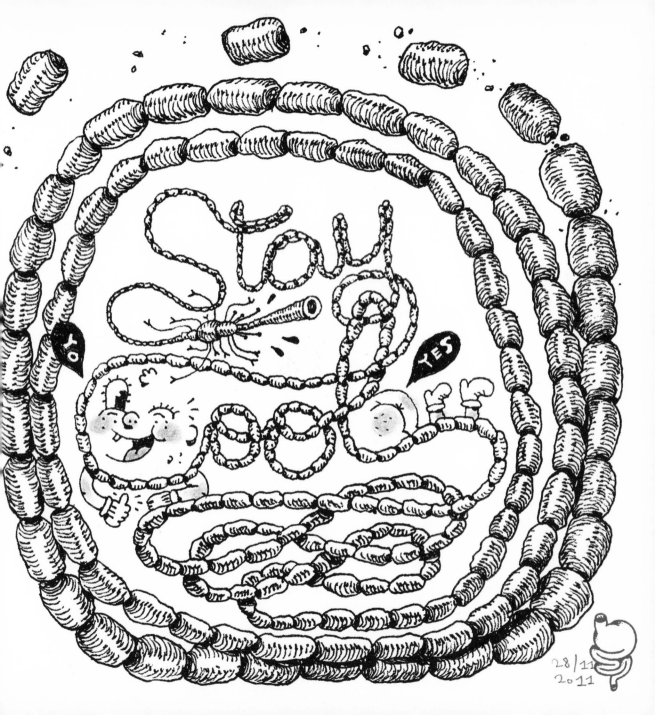

27/11
2011

Un peu d'insouciance.
Plaisir du moment présent.

PLOF

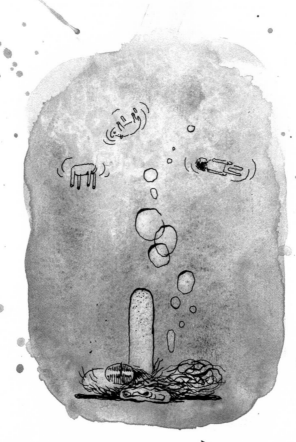

RESTER LÀ.

mon
comment on en est arrivés là ?
j'ai peur
trop
douleur
c'est pas possible
et tous ces médocs
si je pouvais lui prendre...
t'inquiète
à l'aide
ça va aller
non
spirale
il est vivant ?
il souffre trop
et s'il reste bloqué
veuve ?
avec un bébé de 7 mois ?
je veux pas le perdre
que puis-je faire ?
impuissante
j'ai peur
non
NON
respire
j'aurais dû
pourquoi ?
mon Amour
c'est trop
NON
pourquoi ?
help
peur
pourquoi ?
peur
Comment j'me suis pas alarmée plus tôt !
NON
personne ne se rend compte
seul
j'aurais dû insister auprès des médecins
seuls
allez
il souffre trop
Rage
personne
qu'est-ce que je peux faire ?
c'est pas juste
vertige
HELP
j'aurais dû
allez
il va revenir
aidez-nous
ça va aller...
Mae

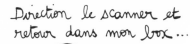

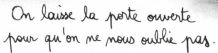

"Vous devez aller mieux maintenant."

Elle en a de bonnes !

Je suis épuisé, j'arrive pas à dormir, j'ai mal au bide, j'ai un pic à glace dans la fesse et quand je vais aux chiottes...

... J'ai l'impression de courir un semi-marathon avec le cul sur des tessons de bouteilles.

Eh bien je vais me rouler un GROS JOINT !

VOUSHHHH

BLAM!

Non mais !

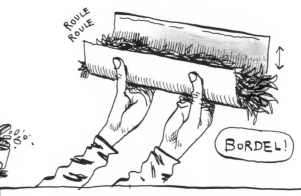

ROULE ROULE

BORDEL !

Si toutes ces pilules n'arrivent pas à me coucher, un peu d'herbe devrait réussir. Et au moins, c'est un plaisir de fumer mon calumet.

effet recherché atteint...

Assomé...

Je ne suis pas endormi,
Je ne suis pas éveillé,
Je suis happé dans un tourbillon infernal :
Mes membres se disloquent, mes jambes s'enfuient,
mon tronc est pris au piège...

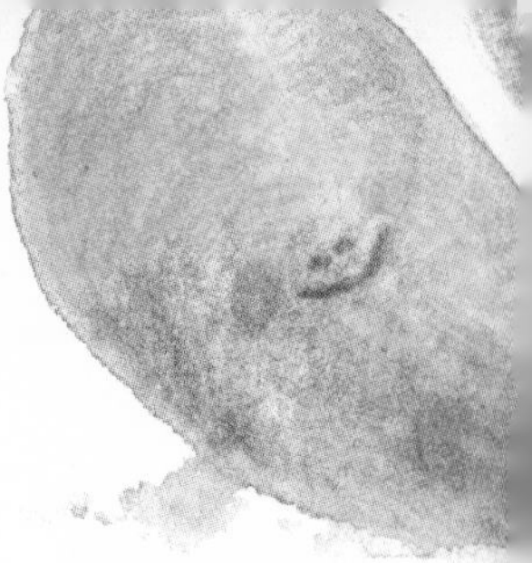

Les tripes cérébrales
se tordent,
Sous les draps,
Un manège détraqué
d'une nuit de novembre.
———

- Rêve éveillé - 25/11/2011 -

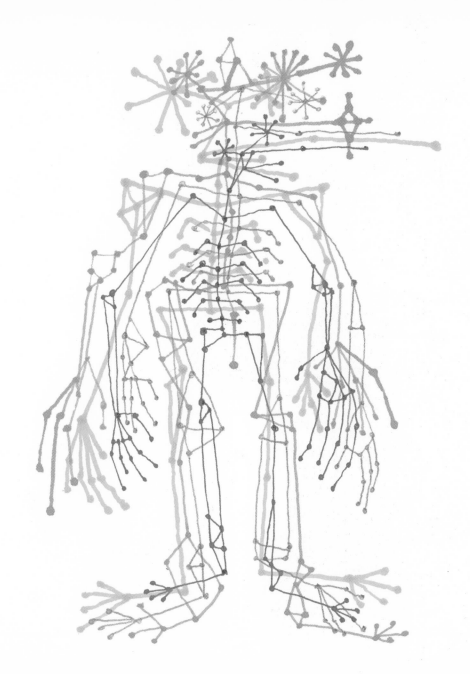

10/12
2011

À partir de là, j'ai commencé à diminuer les doses pour me sevrer de toutes ces saloperies...

antidép
anxiolytiques
opiacés
somnifères

Et j'ai repris mon petit joint quotidien. Au moins, je sais ce qu'il y a dedans.

Il est temps de se reprendre en main.

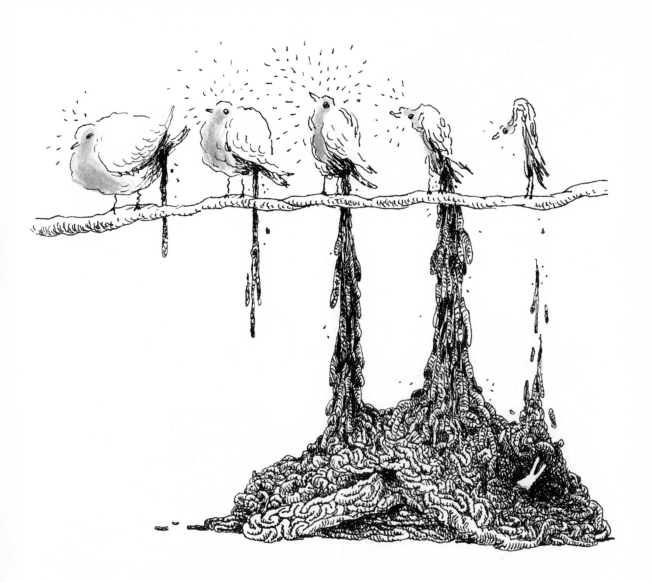

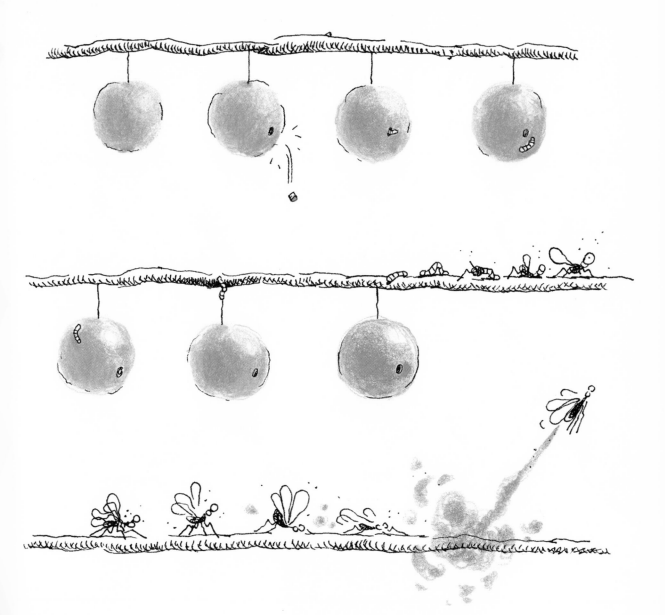

Cela fait quelque temps que mon oncle et ma tante me conseillent d'aller voir un gars qui pourrait m'aider.

Le mec est un ancien gastro-entérologue, reconverti en psychosomaticien. Ça pourrait coller.

Et c'est sûr que j'ai besoin d'aide.

Je déballe tout dans les grandes lignes. L'historique de la maladie, l'enfance pas vraiment sereine, mon état de mal-être constant, ancré en profondeur...

Il faut reconnecter ce corps, en reprendre possession, mais je suis complètement dépassé. Je pense que beaucoup de casseroles du passé en ont profité pour me remettre le grapin dessus.

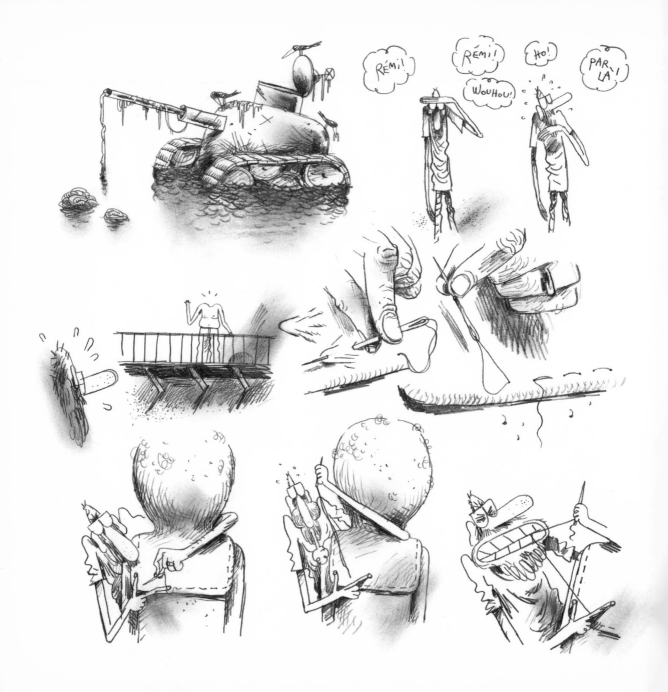

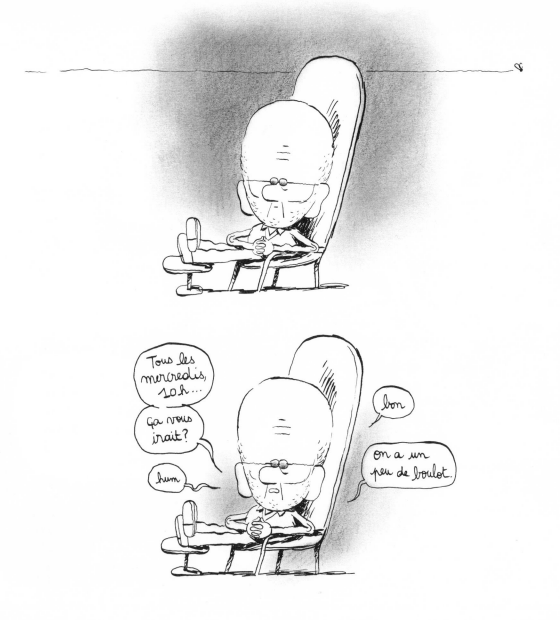

. JE PEUX PORTER MA FILLE .

Ça y est ! L'appétit revient en force ! J'ai le droit de manger de tout ! YES !

Mais quand je mange... Il me faut des WC pas loin.

Même en mangeant rien, en fait. Chaque sortie est un DÉFI.

L'angoisse de l'improvisation.

Soit on reste cloîtré à la maison...

Soit il faut S'ADAPTER.

Belle époque...
UFFF... Ça passe un peu.
C'est bien couillon, d'avoir honte d'évacuer tout ça.
Par contre, personne a honte de bouffer de la merde...
PFFF
ho ho
SHIT. Ça revient
BOIRE MANGER DORMIR DÉFÉQUER
T'en enlèves un, tu crèves!
LE MEC LÀ-BAS A ENVIE DE CHIER.

Il faut rapprendre à être dans le PRÉSENT, et moins dans l'angoisse du FUTUR. Je commence un entraînement intensif...

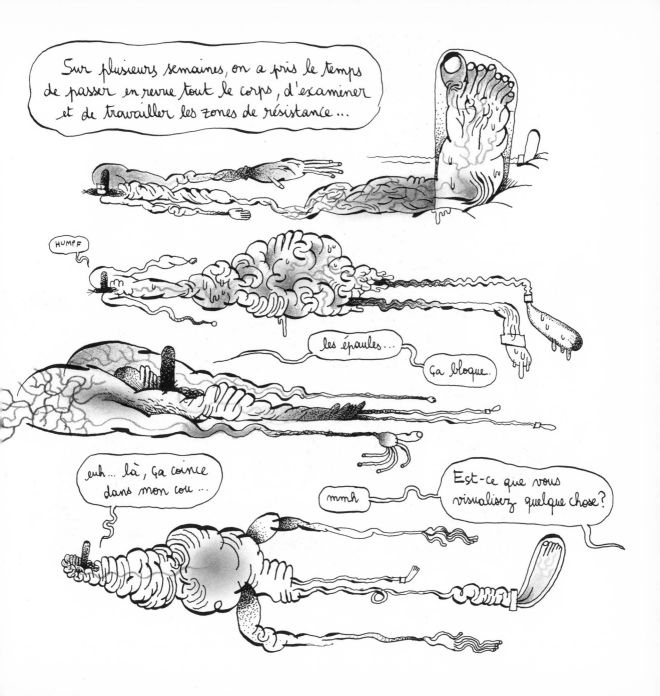

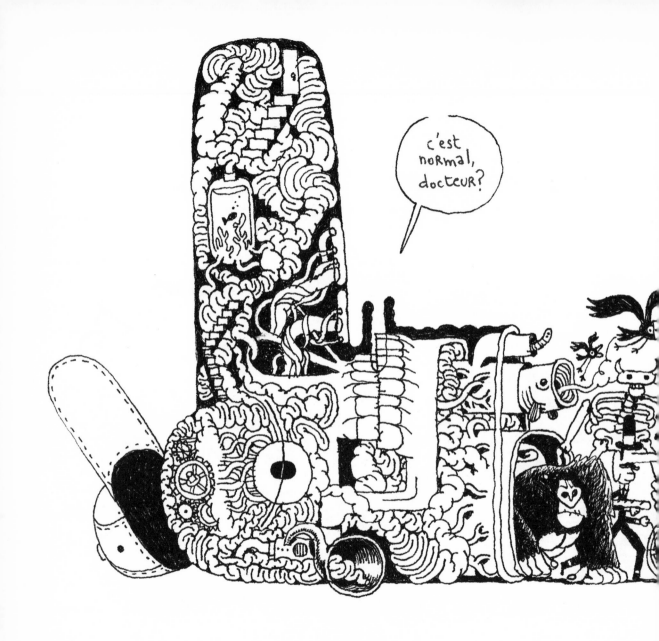

POZLA 2012

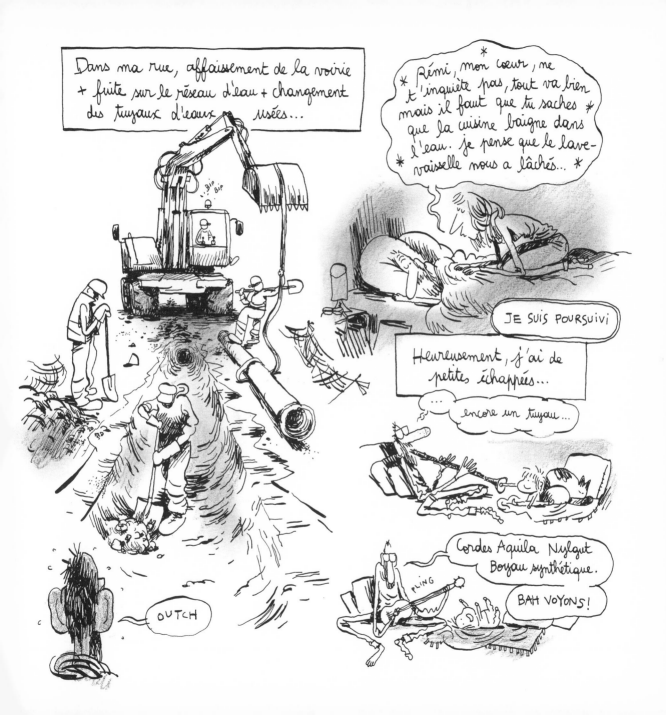

Cadeau de 30 piges,
Clarinette basse,
Boyau retrouvé.

21/02
2012

Suivez-moi.
Nous allons en
profiter pour
travailler ça.

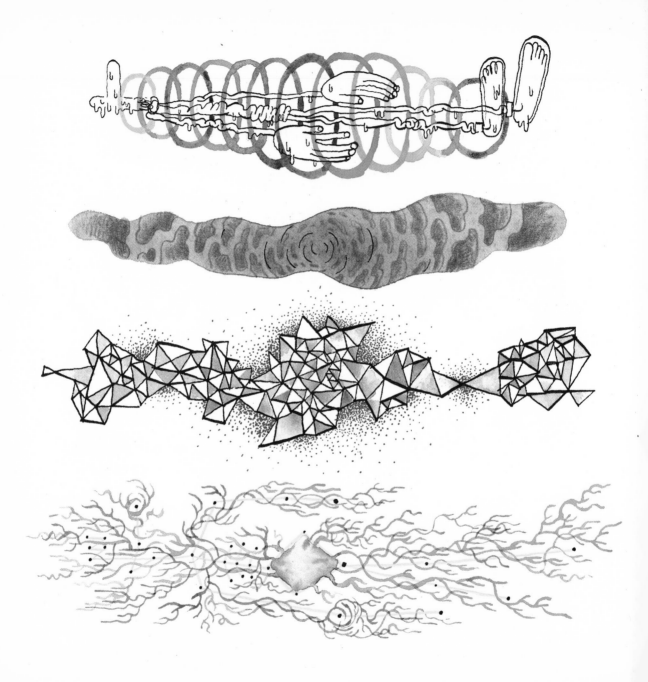

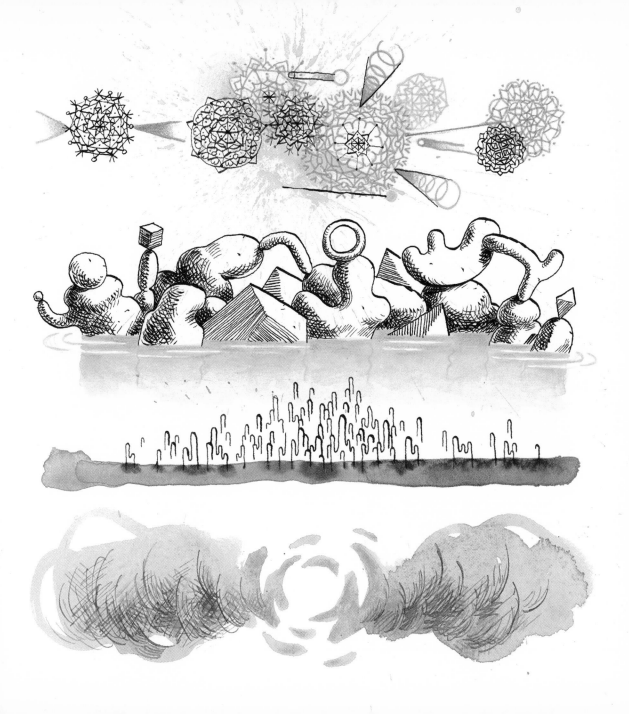

Manifestement, ce petit malin m'avait démontré que je pouvais garder le contrôle...

... Un peu plus qu'avant.

A DAY OF ME .

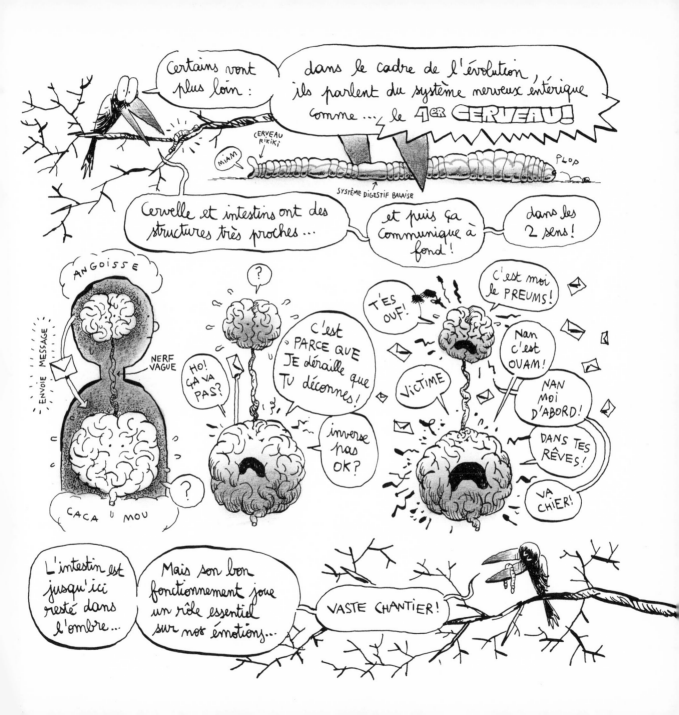

Pour ma part, vu comment c'était le bordel dans mon bide, ça ne pouvait que dérailler dans ma caboche...
Avec Jacques, l'entraînement continue. Relaxation assis. Objectif : pouvoir l'utiliser partout selon mes besoins...
Stress, fatigue, angoisse, maux de bide...
vraiment très utile.
Z

"...Et à les alléger".

Je trouve assez vite le bon dosage. Sacrée révélation. Ça réduit considérablement les diarrhées. Je me rapproche d'un transit normal. J'aurais pu m'y mettre il y a 6 mois...

Puis quelques semaines après, je lui raconte un rêve parmi d'autres...

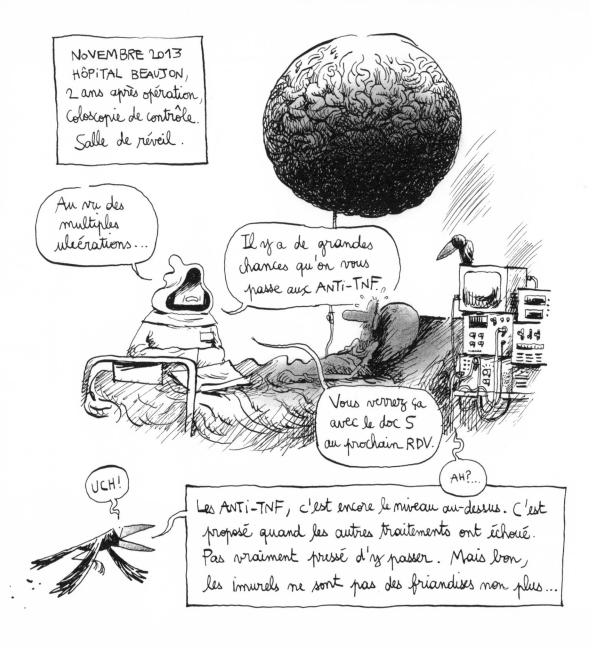

La maladie de Crohn, comme toutes les maladies auto-immunes, serait particulièrement réceptive à ce régime.

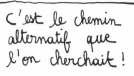

C'est le chemin alternatif que l'on cherchait !

CLONG

CLIN

MERCi

à MAÉ, qui a vécu, accompagné et porté chaque page de ce livre

à BILLIE pour sa joie de vivre et ses dessins

à MARION, MOKË, MERWAN, NICOLE, JULIE, DECK, ELDIABLO,
NICOLAS LEBEDEL, MANU LARCENET, ALËXONE, ÉRIC SALCH, CHLOÉ CRUCHAUDET,
JEAN-CHRISTOPHE CHAUZY pour leurs conseils éclairés et leur soutien

à la famille et aux amis qui m'accompagnent

à MANUE FLEURY de m'avoir parlé du "régime ancestral"
au service gastro de l'hôpital BEAUJON

à JACQUES DREAMER, HUBERT LEVÊQUE, CARMEN STEFANESCU,
et MARIANNE FERRON de m'avoir tiré d'affaire

à l'AFA pour son engagement et sa collaboration,

et au CENTRE NATIONAL DU LIVRE pour son soutien.

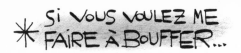

✳ SI VOUS VOULEZ ME FAIRE À BOUFFER...

REPAS

RIZ + LENTILLES = BOMBE NUTRITIVE

PETIT DEJ'

→ **FRUITS SEULS !**
ou avec oléagineux, baies de goji, miel, pollen...

lentilles
→ CORAILS (germées si trempées quelques heures)
→ VERTES (germées ou cuites 5 min si trempées 24 h)

RIZ
→ BASMATI
→ COLLANT VINAIGRÉ
→ COMPLET ou ½ COMPLET
→ GLUANT !
→ POLAO
→ VERMICELLES, FEUILLES ou NOUILLES DE RIZ

ou QUINOA !

TARTINABLES SUCRÉS
→ MIEL
→ CONFITURES MAISON (fruits mi-cuits / Agar-Agar) / sucre complet
→ CRÈME D'AMANDE

LÉGUMES
CRUS OU MI-CUITS !

PAINS
→ PAIN DES FLEURS © (cracottes en BIOSHOP)
→ PAIN PLAT (club sandwich de Valérie Cupillard)
→ PAIN VAPEUR RIZ / SARRASIN
→ CHAPATIS
→ PANCAKES
→ CRÊPES

PROTÉINES ANIMALES
→ ŒUFS mollets idéalement (jaune coulant)
→ POISSONS (crus ou cuits à basse température)
→ FRUITS DE MER
→ VIANDES ROUGES (crues ou bleues)
→ VIANDES BLANCHES (cuites à basse température)

GOÛTER
→ FRUITS SEULS
→ CHOCOLAT NOIR
→ BOL DE CÉRÉALES SOUFFLÉES :
(Riz, châtaigne / sarrasin)
+ AMANDES / CAJOUX / CACAHUÈTES
+ LAIT VÉGÉTAL (Amande / Riz / Coco / châtaigne / noisette...)

FARINES
RIZ / SARRASIN / COCO / CHÂTAIGNE / POIS CHICHE / TAPIOCA / TEFF / MANIOC / ARROW ROOT / FÉCULE DE POMME DE TERRE.

- PAIN VAPEUR -
· 300 ml d'eau à 40°C
· 80 g farine sarrasin + 80 g farine riz + 80 g farine châtaigne
· 50 g coco râpée · 1 càc de sel bombé
· 1 sachet de levure sans gluten
· 2 cà soupe d'huile d'olive
(+ tomates séchées, olives, etc.)

SAUCES

→ MAYO MAISON / AÏOLI
→ KETCHUP BIOSHOP (△ composition)
→ SAUCE TOMATE MAISON
→ VINAIGRETTES (varier les huiles) et vinaigres
→ HUILE D'OLIVE + HERBES FRAÎCHES + SEL + POIVRE
→ SAUCE COCO
→ SAUCE BÉCHAMEL
→ CRÈME DE RIZ (avec épices et autres...)

IDÉALEMENT ASSOCIER LES PROTÉINES ANIMALES AVEC LES LÉGUMES (salade en particulier)

"BÉCHAMEL" Purée d'amande ou de cajou + eau + sel + poivre + muscade + farine de riz précuite

CUISSONS

AU CUIT VAPEUR OU AU FOUR À 110°C MAX !

SAUCE COCO SELON L'HUMEUR tomates séchées / gingembre / citronelle / oignons / etc.

MATIÈRES GRASSES

· CHAUDES OU CUITES À BASSE TEMPÉRATURE !
→ HUILE D'OLIVE (extraite à froid)
→ MARGARINE VÉGÉTALE NON HYDROGÉNÉE
→ GRAISSE DE COCO
→ GRAISSE DE CANARD
· CRUES → TOUTES LES HUILES

BOISSONS

→ EAU / THÉ / CAFÉ / CHICORÉE / INFUSIONS
→ JUS FRAIS SANS ADDITIFS
→ ALCOOLS AVEC MODÉRATION ET PAS DE BIÈRE !

APÉRO

→ FRUITS
→ ANTIPASTIS / PICKLES
→ CACAHUÈTES, CAJOUX, AMANDES (pas grillées, pas salées)
→ CAROTTES CITRONNÉES
→ BÂTONNETS DE LÉGUMES + MAYO MAISON
→ ROULEAUX DE PRINTEMPS...

- PANCAKES -

· 100g farine de RIZ
· 100g farine de sarrasin
· 3 œufs · C à c sel
· 40 g sucre complet
· 40 cl lait végétal

TARTINABLES SALÉS

→ ZAATAR (thym + sésame + sumac)
→ HOMMOS (germé ou mi-cuit)
→ TARTARE D'ALGUES / BETTERAVES / etc.
→ RILLETTES DE ST JACQUES, DE POISSON...

POUR ALLER PLUS LOIN...

* ASSOCIATION FRANÇOIS AUPETIT (AFA).
  incontournable en ce qui concerne les MICI.
  → http://www.afa.asso.fr

* L'ALIMENTATION OU LA 3ᵉ MÉDECINE, du DR Jean Seignalet, Éditions du Rocher.

* COMPRENDRE ET PRATIQUER LE RÉGIME SEIGNALET, du DR Dominique Seignalet
  et Anne Seignalet, Éditions François-Xavier de Guibert.

À VOIR OU À ÉCOUTER

* Arte Reportage : LE VENTRE, NOTRE DEUXIÈME CERVEAU, de Cécile Denjean.

* Arte Reportage : LE JEÛNE, UNE NOUVELLE THÉRAPIE, de Thierry de Lestrade
  et Sylvie Gilman

* 3D, LE JOURNAL
  → http://www.franceinter.fr/emission-3d-le-journal-le-deuxieme-cerveau-les-intestins/

* Conférences du PR JOYEUX
  Il explique plutôt bien le changement d'alimentation à adopter.
  → sur Youtube taper conférence du professeur Joyeux.

ALIMENTATION

* VITALISEUR DE MARION (cuit vapeur de compèt!) disponible sur le site du même nom.

* CUISINEZ GOURMAND, SANS GLUTEN, SANS LAIT, SANS OEUFS, de Valérie Cupillard, Prat Éditions.

* L'ALIMENTATION CRUE : 400 RECETTES, de Christian Pauthe et Jean-Marie Ozanne, Éditions Écologie Humaine.

* ADDITIFS ALIMENTAIRES DANGER!, de Corinne Gouget, Chariot d'or Éditions.

* GUIDE PRATIQUE DE GASTRONOMIE FAMILIALE, L'ART ET LE PLAISIR POUR LA SANTÉ, de Christine Bouguet-Joyeux (femme du Pr Joyeux), Éditions François-Xavier de Guibert.

* À TABLE, PASSEPORT NUTRITION POUR PETITS ET GRANDS, de Régis Grosdidier et Edith Lassiat, Éditions Deloville Santé.

* L'ART DE CUISINER SAIN, de Claude Aubert, Éditions Terre vivante.

* LÉGUMES BIO MODE D'EMPLOI, Emmanuel et Valérie Cupillard, Éditions la Plage.

* RECETTES GOURMANDES POUR UNE VIE MEILLEURE, de Eva-Claire Pasquier, Éditions Guy Tredaniel.

* C'EST PAS DE LA TARTE, de Fannie Denault, Éditions la Plage.

* ALGUES MARINES, DÉGUSTEZ LES BIENFAITS DE LA MER, de Carole Dougoud, Anagramme Éditions.

* LA DIÉTÉTIQUE DU TAO, UNE SAGESSE MILLÉNAIRE AU SERVICE DE VOTRE SANTÉ, de Philippe Sionneau et Richard Zagorski, Éditions Guy Tredaniel.

* Sites de recettes très complets, c'est bien pratique :
  → http://delices0gluten.canalblog.com
  → http://www.cfaitmaison.com/sansgluten/sansgluten.html/

AUTRES

* LA CORDÉE DU MONT ROSE, de Olivier Balez, Éditions les Arènes et XXI.

* RECTO LA VIE C'EST NICKEL CROHN, de Jean-Michel Hedreux, Éditions Mici pour la vie

* PETIT TRAITÉ DE L'ABANDON, de Alexandre Jollien, Éditions du Seuil.

* COMMENT CHIER DANS LES BOIS, de Kathleen Meyer, chez Édimontagne.

Du même auteur aux éditions Ankama :

MONKEY BIZNESS avec Eldiablo
→ 2 tomes parus
le 3ᵉ tome à paraître.

Ouvrage dirigé par MARION AMIRGANIAN

©2015 ÉDITIONS DELCOURT

Tous droits réservés pour tous pays
Dépôt légal : Septembre 2015
ISBN : 978-2-7560-6639-4

Conception graphique : POZLA & TRAIT POUR TRAIT

Achevé d'imprimer en janvier 2016
par LEGOPRINT en Italie

ORGANIC
SAMAN
PERÚ
APPBOSA
PLU - 94011

www.frutas
PONCHE
.com

EARL DES
CÔTEAUX D'ORTHE

FRUTAS
Apemar

OSCAR
Kiwi Fruits
FRANCE
#4030

CAMEROON
Del Monte
Quality

BOUBA
Premium
Côte d'Ivoire
·Compagnie Fruitiere·

Muroc

Organic Bananas

Dominican Republic

94011
sabrosa
ORGANIC
DOMINICAN REPUBLIC

SABROSA
#94011
ORGANIC
DOMINICAN REPUBLIC

Top Fruit
ORGANIC

ORGANIC
BANANAS
Product of
Peru
fairtrasa

Mademoiselle

BEAM BEAM

BROTHERZ

ZAIDA

FAIRTRADE
MAX HAVELAAR

Natur
Organic
Bananas
CONTROLUNION
CERTIFIED
Certified Organic by Control
Union Certifications COU12661

Pink
Lady
#4130

#4030
Japiencu

BANAMIEL
CU 812661 Organic